ESTE LIBRO PERTENECE A:
MW00605123

"¡Nuestra familia ha tenido muchas aventuras con Joni! Pero, así como ella nos recuerda de una forma tan encantadora, estos son ecos de una fiesta más grande a la que estamos invitados. ¡Qué maravilloso tener un libro como este!".

KRISTYN GETTY, compositora en *Himnos de Gracia*

"Joni ama a los niños y ellos la aman a ella. En este libro les presenta el cielo y les cuenta cómo aceptar la invitación de Dios a pasar la eternidad con el Salvador".

NANCY DEMOSS y ROBERT WOLGEMUTH, autores y conferencistas; fundadora de *Aviva nuestros corazones*

"El título es largo. El libro es corto. ¡La autora es Joni! Ayuda a tus hijos (y nietos) a desear la venida del Señor Jesús leyéndoles este libro. Léelo con toda la intención, como Joni lo leería".

JOHN PIPER, autor de *Providencia*

"Este es uno de los mejores libros para niños que he leído sobre la promesa más grandiosa que se ha hecho: la promesa del cielo que viene a la tierra, para que la tierra se convierta en el cielo. Leerlo me lleva a decir, '¡Ven pronto, Señor Jesús!'".

NANCY GUTHRIE, autora de *Mejor que el Edén*

Agradecemos a Carlita Ardiles por su participación en la concepción de este libro con su perspicacia respondiendo la pregunta *¿Qué es lo opuesto a un hombre viejo?: "Un hombre en la nueva creación"*.

La asombrosa súper fantástica fiesta sin fin

Traducido con el debido permiso del libro
The Awesome Super Fantastic Forever Party

Poiema Publicaciones
info@poiema.co
www.poiema.co

Ilustrado por Catalina Echeverri / Dirección de arte y diseño por André ParKer

ISBN: 978-1-955182-40-9
Impreso en Colombia
SDG

La asombrosa súper fantástica fiesta sin fin

escrito por:
Joni Eareckson Tada

ilustrado por:
Catalina Echeverri

¿Alguna vez has recibido
una invitación...

a una fiesta
de cumpleaños?

¿A un partido
de fútbol?

¿A una gran boda?

Las mejores invitaciones son para eventos inolvidables con gente increíble.

A Jesús le encantaba dar invitaciones.
Y Su invitación más maravillosa de todas fue esta:

TODO EL QUE CREE
EN MÍ COMO SU REY
Y RESCATADOR TENDRÁ
VIDA, CONMIGO,
POR SIEMPRE.

Estaba invitando a
las personas al cielo.

Pero... mmm... ¿no es el cielo un lugar donde simplemente viviré en una nube, usaré una bata blanca chistosa y tocaré el arpa? Suena un poco... aburrido.

Pero algunas personas dicen que el cielo es un lugar donde podría nadar con delfines... montar en el tobogán acuático más grande de todo el universo...

y comer todos los panqueques
de chips de chocolate que quisiera...

¡Eso sería grandioso!
Por algunos años.
Pero, ¿después qué? ¿Realmente quiero comer panqueques de chips de chocolate todo el día y tener dolor de estómago por siempre?

Jesús habló mucho sobre la vida después de esta vida, pero jamás mencionó gente sentada en las nubes. O comiendo panqueques.

Las cosas que Él describió fueron mucho más asombrosas.

Entonces, ¡¿cuál es la VERDAD sobre el cielo?!

Primero, Jesús dijo que un día el cielo estará aquí.

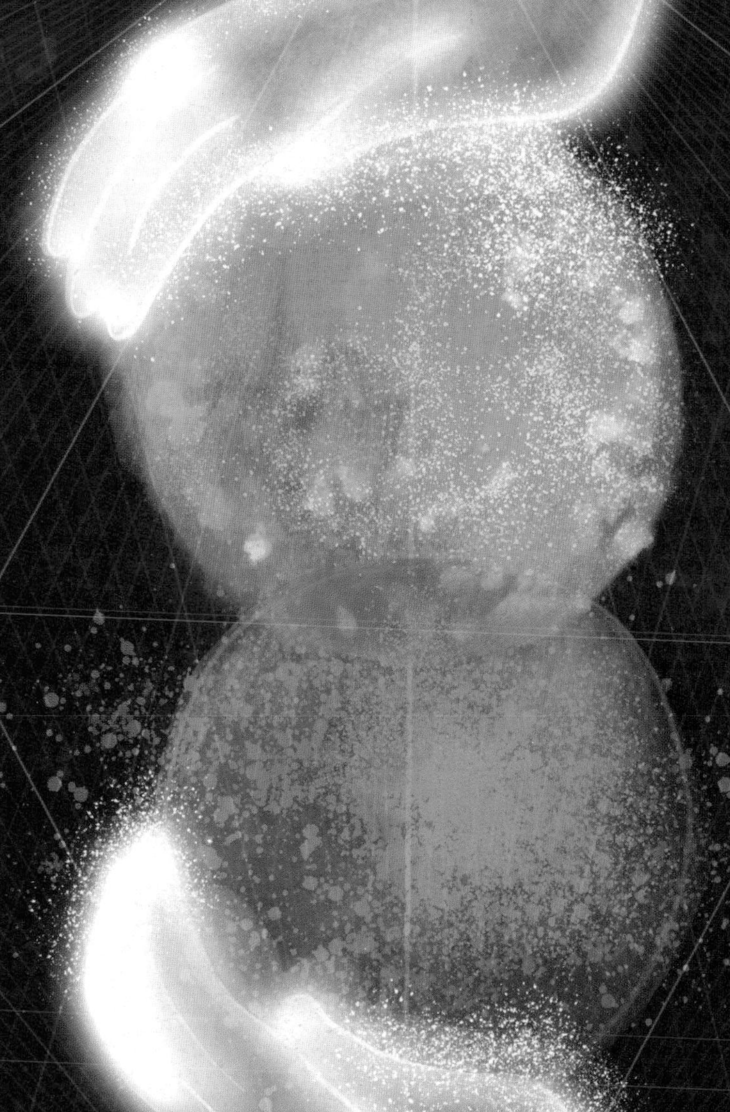

Cuando Jesús regrese a este mundo, traerá el cielo con Él.
¡El cielo y la tierra se van a unir!

Eso significa que el mundo será perfecto.

¿Cuál es tu lugar favorito en el mundo?
En la nueva tierra, será aún mejor.
Nada se dañará ni saldrá mal.

Podrás hacer cosas increíbles.
Tal vez...

Cuidar animales
exóticos.

Subir a la cima
de los nevados.

Conocer todas las
estrellas que Jesús creó.

Y en este perfecto cielo en la tierra, ¡tú también serás perfecto!

Jesús te dará un nuevo CORAZÓN.

Eso quiere decir que no habrá más pecado. No querrás robar galletas, ser malo con tu amigo o fingir que te has cepillado los dientes si en realidad no lo has hecho.

Todos los demás también tendrán un nuevo corazón.

No habrá peleas ni dolor.
Solo habrá paz y amistad.

¡La vida será como vivir
debajo de una cascada de felicidad!

Y Jesús te dará un CUERPO nuevo.

Será brillante y esplendoroso y correrás más rápido y serás más fuerte de lo que creíste posible. Los ciegos verán, los cojos bailarán, los sordos oirán y las personas que tienen problemas con su mente, disfrutarán de una mente sana, todo el tiempo.

Y en esta tierra nueva,

con nuestros corazones nuevos y cuerpos nuevos...

Viviremos en una nueva CIUDAD: la nueva Jerusalén, una ciudad brillante donde Jesús ha preparado un hogar especialmente para ti.

¡WOW! Y todavía no hemos llegado a la mejor parte de ese lugar al que estamos invitados. Lo mejor será...

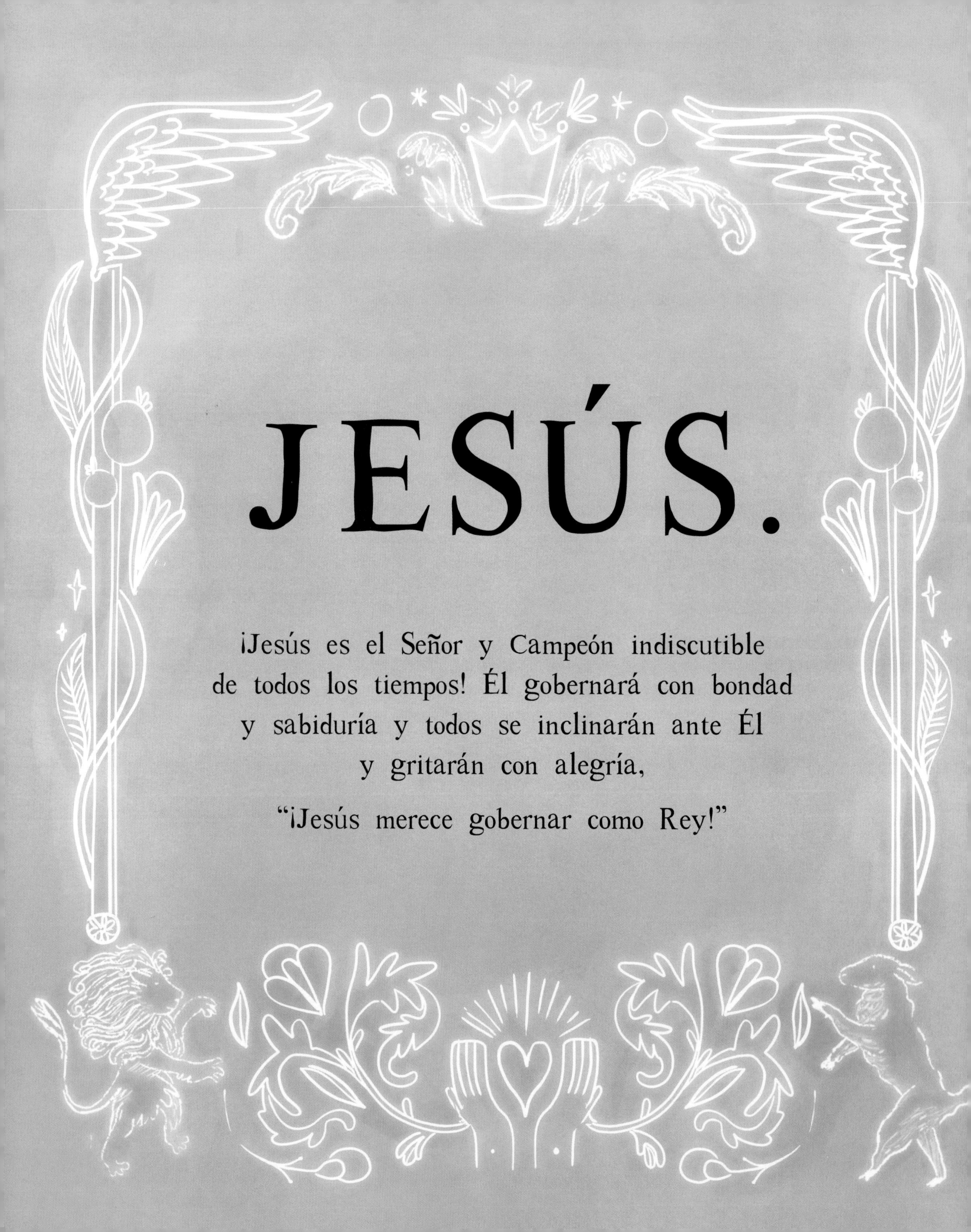

JESÚS.

¡Jesús es el Señor y Campeón indiscutible de todos los tiempos! Él gobernará con bondad y sabiduría y todos se inclinarán ante Él y gritarán con alegría,

"¡Jesús merece gobernar como Rey!"

Jesús es el único que ha pagado por nuestros pecados al morir en la cruz. Es el único que ha vencido la muerte, al volver a la vida. Es el único que puede invitarnos a esta asombrosa fiesta. ¡WOW!

Todos los que estén en la nueva Jerusalén alabarán a Jesús una y otra vez. ¡Le agradeceremos por rescatarnos y por darnos la alegría de estar en Su asombrosa súper fantástica fiesta sin fin!

Los árboles aplaudirán
para alabar a Jesús...
el grano de los campos se agitará con alegría...

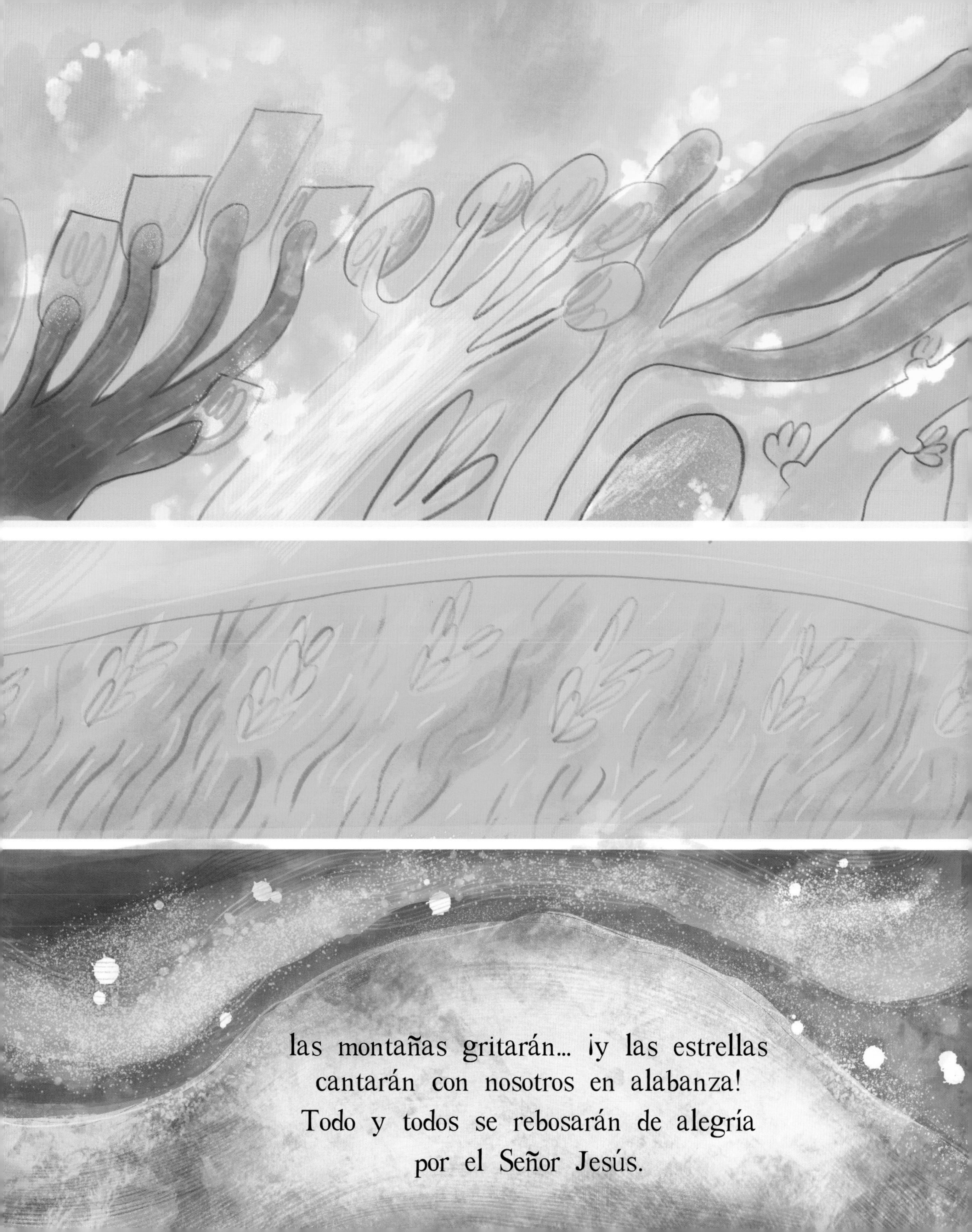

las montañas gritarán... ¡y las estrellas
cantarán con nosotros en alabanza!
Todo y todos se rebosarán de alegría
por el Señor Jesús.

Pero, espera... el problema con las fiestas es que se terminan.

La diversión tiene que terminar.

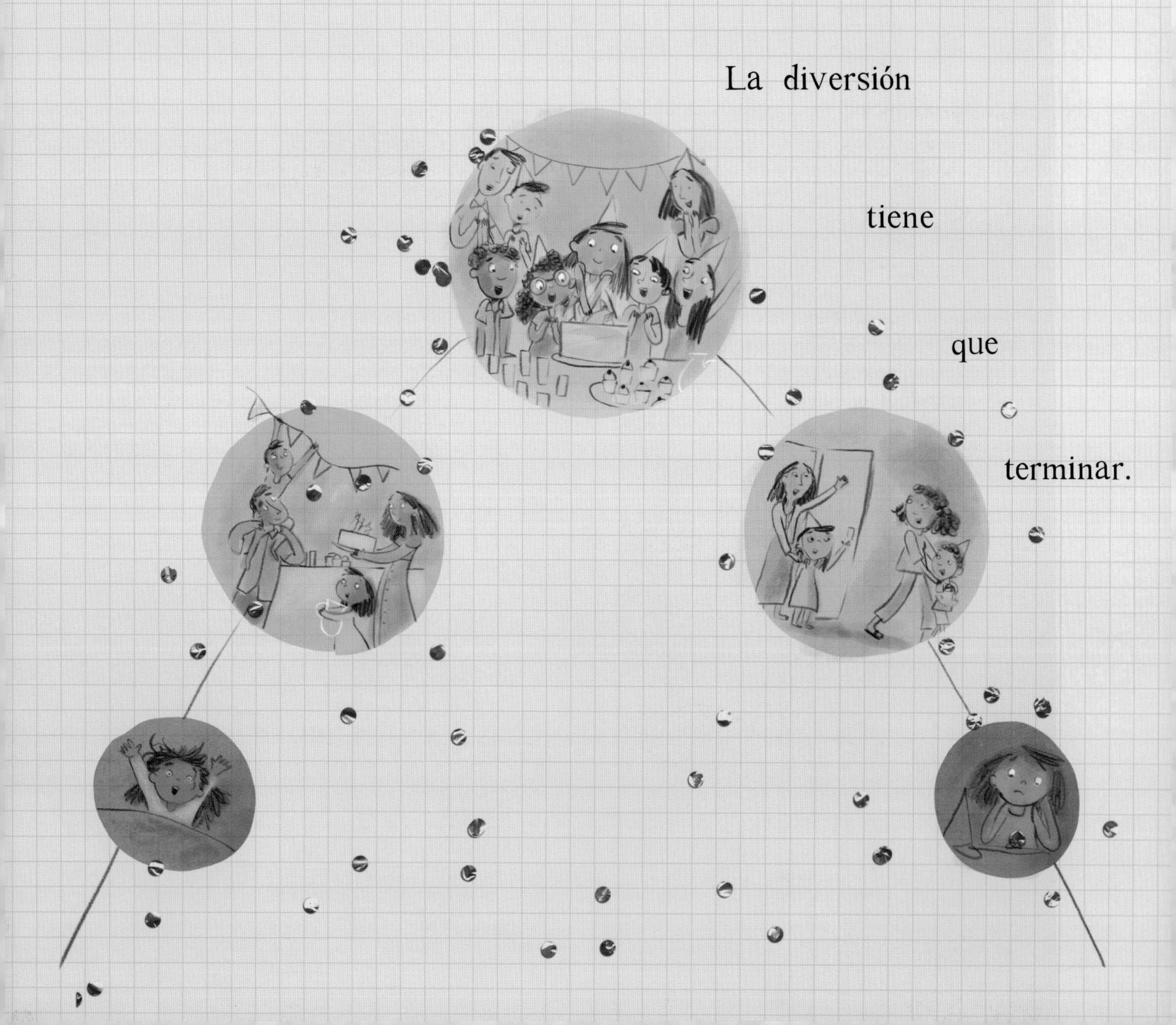

¡Pero esta fiesta no! Porque durará para siempre. Siempre habrá otro día y todos los días serán mejores que el anterior. Cada día podremos disfrutar cosas nuevas, ver lugares nuevos, conocer personas nuevas y aprender verdades nuevas y asombrosas sobre Dios.

Las mejores invitaciones son para eventos inolvidables con gente increíble.
Y esta es la invitación más grandiosa de todas.

Ahora, cuando recibes una invitación tienes que responder si vas a ir o no.

¿Cómo le puedes decir "¡sí!" a la invitación de Jesús?

Respondíendole que quieres que Él sea tu único Rey y confiando solo en Él como tu Rescatador. Así puedes estar seguro de que tu nombre está en Su lista para la fiesta eterna, Su "Libro de la Vida".

Y entonces puedes invitar a tus amigos y familia para que también estén allí con Jesús. ¡La invitación es para todos!

Cuando la última persona de la lista de Jesús le responda "¡SÍ!"... Jesús aparecerá, de repente aquí, con TODOS Sus amigos, quienes han estado esperando con Él en el cielo después que sus vidas en esta tierra terminaran.

Y entonces todo cambiará; todos los amigos de Jesús estarán juntos ¡y comenzará la fiesta eterna!

Y hay una cosa más que podemos hacer mientras esperamos tener nuevos corazones y nuevos cuerpos en el nuevo cielo en la tierra, con Jesús para siempre.

Podemos enviarle nuestra propia invitación a Jesús.

Es una invitación que aparece en la última página del último capítulo del último libro de la Biblia, Apocalipsis.

Aparece allí tres veces. (¡Debe ser importante!)

Entonces, digámoslo juntos...

"¡VEN, SEÑOR JESÚS!"

¿CÓMO SABEMOS SOBRE LA ASOMBROSA SÚPER FANTÁSTICA FIESTA SIN FIN?

Escribí este libro porque amo a Jesús y quiero que otros también lo amen. Yo vivo en una silla de ruedas y estoy esperando con ansias el maravilloso día que se describe en Isaías 35:10: "... y entrarán en Sión con cantos de alegría, coronados de una alegría eterna. Los alcanzarán la alegría y el regocijo, y se alejarán la tristeza y el gemido". La Biblia promete que un día me levantaré de mi silla de ruedas y entraré al cielo, feliz y bailando.

Estar con Jesús es lo que hará que el cielo se sienta tan increíble. Allí tendremos un corazón nuevo que lo amará de una forma perfecta (Jeremías 24:7). Experimentaremos la vida sin ningún rastro de ira, resentimiento, miedo o envidia, porque el cielo es nuestro hogar en donde habita la justicia (2 Pedro 3:13).

Apocalipsis 21:3-4 dice que cuando Jesús regrese, Dios hará una nueva tierra libre de deterioro y desastres. El cielo y la tierra se unirán (Apocalipsis 21:2; Isaías 65:17-19). Seremos perfectamente preparados para vivir en este nuevo cielo y tierra porque Dios nos dará un cuerpo nuevo (1 Corintios 15:35-44). No sabemos exactamente cómo será nuestro cuerpo, pero será perfecto.

Es por eso que este libro termina con la misma invitación que termina la Biblia: ¡invitando a Jesús a que vuelva pronto (Apocalipsis 22:20)!